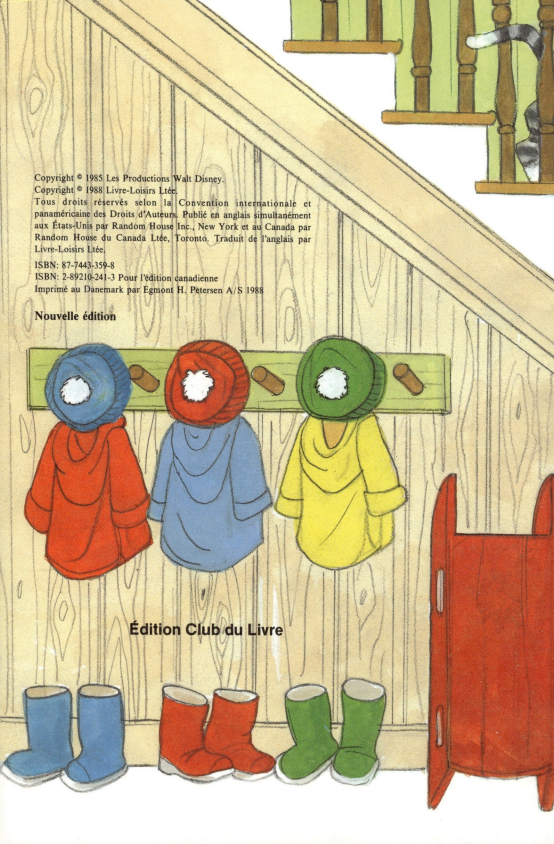

ISBN: 87-7443-359-8
ISBN: 2-89210-241-3 Pour l'édition canadienne
Imprimé au Danemark par Egmont H. Petersen A/S 1988

Nouvelle édition

Édition Club du Livre

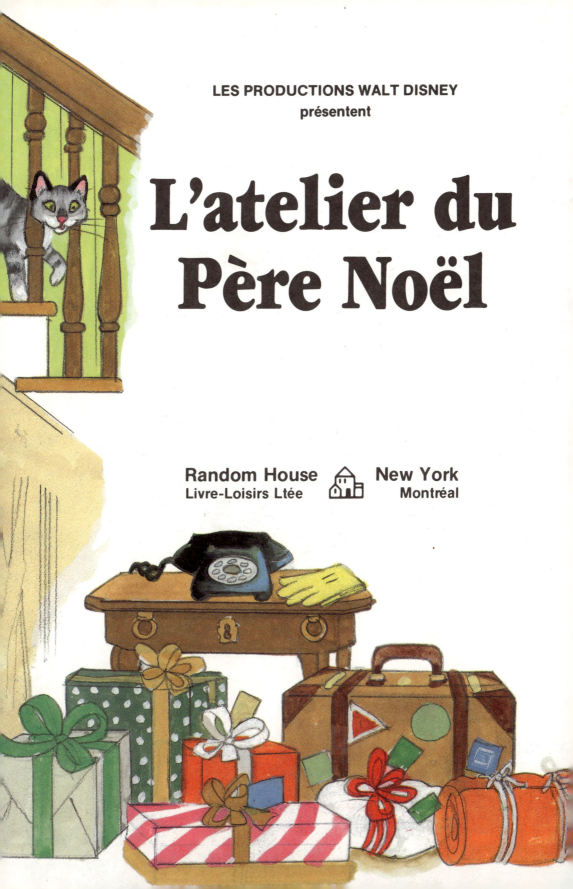

LES PRODUCTIONS WALT DISNEY
présentent

L'atelier du Père Noël

Random House New York
Livre-Loisirs Ltée Montréal

La veille du jour de Noël, Donald et ses trois neveux s'apprêtent à partir à la campagne. Ils vont passer les Fêtes chez Grand-Mère Donald. Là, ils doivent retrouver Daisy et Picsou. Les valises sont prêtes, il ne manque que Riri, Fifi et Loulou. «Où sont-ils passés? se demande Donald. Je parie qu'ils sont encore au lit.»

«Debout là-haut! crie-t-il à l'intention de ses trois neveux. Nous partons bientôt.»

Donald a vu juste. Riri, Fifi et Loulou sont toujours couchés. Le réveil est pénible. Les neveux ne se sentent pas en très bonne forme, ce matin-là.

« J'ai mal à la tête », dit Riri. « Et moi, j'ai les yeux qui piquent », ajoute Loulou.

« Pour ma part, c'est au ventre que j'ai
mal », dit Fifi. Les trois enfants se regardent,
puis Riri conclut : « Il vaut mieux ne rien dire
à Donald, sinon il ne voudra pas que nous
allions chez Grand-Mère. »

« Nous descendons dans une minute »,
répondent-ils en chœur à Donald.

Mais la voix des enfants est éraillée. «Ce n'est pas normal», pense Donald.

Intrigué, il décide de monter à la chambre des neveux pour voir ce qui se passe.

Tandis qu'il grimpe les
escaliers, il entend l'un des
neveux qui éternue
bruyamment.

« Ça alors ! fait Donald en voyant les neveux.
Vous avez l'air bien mal en point. Riri, tu es
blanc comme un drap. Et vous, Fifi et Loulou,
vous ne paraissez guère mieux. »

« Vous avez peut-être de la
fièvre. Je vais prendre votre
température. »

« C'est bien ce que je pensais : vous êtes malades. Je vais téléphoner à Grand-Mère pour la prévenir que nous ne pourrons pas lui rendre visite. »

« Oh non, Donald, protestent les trois enfants. Nous nous sentons bien. »

« Pas du tout. Vous devez vous soigner. Nous allons donc passer Noël ici, à la maison. »

Sans attendre, Donald
prévient Grand-Mère : « Vous
allez devoir fêter Noël sans
nous. Les neveux ont un gros
rhume et je préfère qu'ils ne
sortent pas de la maison. ».

Daisy, qui est en train de
peler des pommes pour aider
Grand-Mère, suit la
conversation. Elle se rend
bientôt compte qu'il y a
quelque chose qui ne va pas.

« Souhaitons qu'ils guérissent rapidement, dit Grand-Mère. Fais-leur des bises de ma part. »

Grand-Mère fait part à Daisy et Picsou des mauvaises nouvelles. La dinde, les pâtisseries, les cadeaux, tout est prêt. Mais il manquera la moitié des invités. « Nous ne pouvons pas fêter sans Donald et les neveux », dit Daisy.

« Voici ce que nous allons faire », suggère Picsou.

« Puisque Donald, Riri, Fifi et Loulou ne peuvent venir nous rejoindre ici, c'est nous qui irons les retrouver. Nous emporterons le repas et les cadeaux chez Donald et c'est là que nous fêterons Noël tous ensemble. »

« Grand-Mère vous souhaite un prompt
rétablissement, dit Donald aux neveux en leur
portant du lait chaud. Buvez. Je vous lirai
ensuite une histoire. »

Une fois le lait avalé, les enfants se laissent
gagner par le sommeil tandis que Donald
commence la lecture d'une belle histoire.

« Cela se passe la veille du jour de Noël... »

« Dans les ateliers du Père Noël, les lutins ne savent plus où donner de la tête. Auront-ils fini leur travail à temps ? »

« Pendant ce temps, à l'extérieur, le Père Noël finit de préparer son traîneau. »

« Ho, ho, ho ! fait Donald. Je suis le Père Noël. »

Mais cela ne fait pas rire les neveux. Et pour cause ! Ils dorment tous les trois. Donald quitte donc la chambre sur la pointe des pieds.

Dans leur sommeil, les trois neveux rêvent au Père Noël. Ils se retrouvent au Pôle Nord. Le bon vieillard soigne ses rennes en prévision du long voyage qu'il doit entreprendre pendant la nuit de Noël.

Dans le rêve des neveux, le Père Noël n'a pas
l'air heureux. « Demandons-lui ce qui ne va pas,
propose Fifi à ses deux frères. Nous pourrons
peut-être l'aider. »

«Ce qui ne va pas? répète le Père Noël.
Venez. Je vais vous montrer.» En compagnie du
vieillard, les trois neveux entrent dans le dortoir
des lutins. «Voyez. Ils sont tous malades. Ils
ont un gros rhume. Jamais ils ne pourront
terminer à temps leur travail.»

«Dites-nous ce qu'il y a à
faire, disent ensemble les
neveux. Nous allons remplacer
vos lutins.»

Quelques minutes
plus tard, les neveux
se retrouvent en
compagnie du Père
Noël dans l'atelier.

Il reste une incroyable
quantité de jouets à
fabriquer. Courageusement,
Riri, Fifi et Loulou se
mettent au travail.

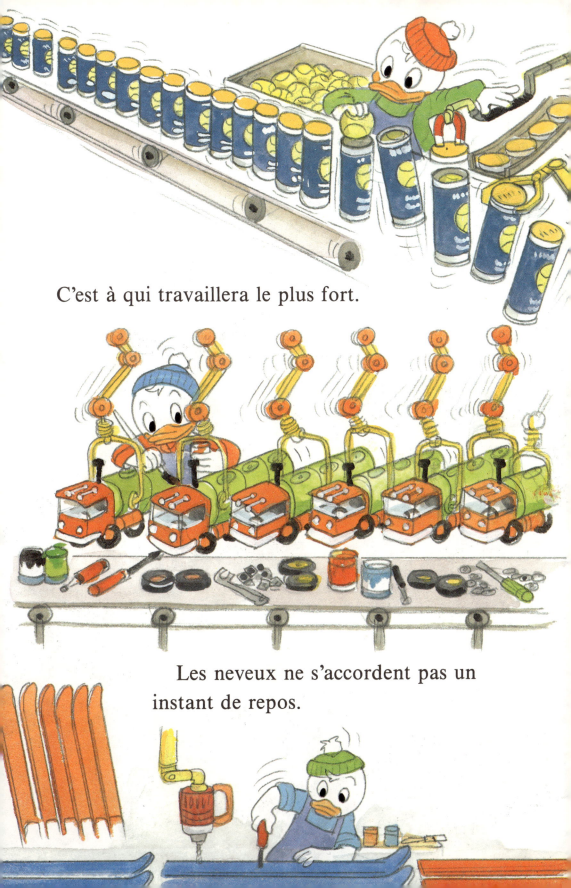

C'est à qui travaillera le plus fort.

Les neveux ne s'accordent pas un instant de repos.

« Vous êtes formidables ! dit le Père Noël. Grâce à vous, des milliers d'enfants passeront un joyeux Noël. »

En effet. Pendant des heures, les machines de l'atelier ne cessent de fonctionner. Les trois neveux clouent, vissent, peignent, trient et vérifient des tas de jouets.

Ils travaillent si bien qu'il ne reste plus, finalement, qu'à passer à l'emballage.

Riri choisit du papier
d'emballage vert,
décoré de sapins.

Fifi utilise du papier
rouge garni d'étoiles.

Loulou, quant à lui, se
sert de papier rayé or et
blanc.

Une fois le travail complété, les neveux placent les cadeaux dans de grands sacs gris et les portent dans le chariot du Père Noël.

Ils donnent un dernier coup de main au Père Noël, qui est prêt à partir.

« Merci pour votre aide précieuse », crie le Père
Noël tandis que son fier équipage s'élève
majestueusement dans le ciel étoilé.

« Joyeux Noël ! » répondent les enfants.

Tandis que les enfants font la sieste,
Grand-Mère, Daisy et Picsou arrivent chez
Donald. Ils emportent avec eux les victuailles et
les cadeaux qu'ils ont préparés.

Il a neigé toute la nuit et la campagne est
recouverte d'un épais manteau de neige fraîche. Il
fait très froid. Dans la confortable auto de
Picsou, les passagers sirotent un chocolat chaud.

« Pauvre Donald, dit Daisy. Il doit être triste
de voir ses trois neveux malades la veille de
Noël. »

« Vous verrez que notre visite lui causera une
agréable surprise », explique Picsou.

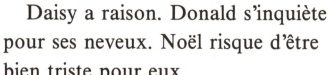

Daisy a raison. Donald s'inquiète pour ses neveux. Noël risque d'être bien triste pour eux.

Soudain, un coup d'avertisseur le tire de ses pensées. « Qui cela peut bien être ? »

Par la fenêtre, il aperçoit l'auto de Picsou et
voit Daisy et Grand-Mère qui descendent, les
bras chargés de cadeaux.

« Formidable ! s'écrie Donald. Ce sont les neveux qui vont être contents de vous voir. Mais ne faites pas de bruit ; ils dorment à l'étage. »

Grand-Mère, aidée de Daisy, porte les victuailles à la cuisine.

Tout est prêt. Il ne reste plus qu'à réchauffer le repas pour passer à table.

La maison, comme par miracle, a pris un air de fête. L'odeur de la dinde rôtie envahit la cuisine. Le sapin décoré occupe un coin du salon. Sous l'arbre, plusieurs paquets multicolores attendent le réveil des enfants.

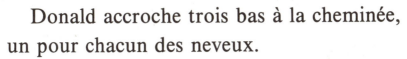

Donald accroche trois bas à la cheminée,
un pour chacun des neveux.

«Je me sens un peu comme le Père Noël»,
dit Picsou en faisant tinter des grelots.

À l'étage, les enfants dorment toujours. Leur beau rêve tire à sa fin. Puis ils se réveillent tous trois au son des grelots.

Du coup, ils en oublient la fièvre et descendent précipitemment au salon.

« Est-ce que nous rêvons encore ? » demande Loulou. « Tout cela a l'air tellement réel », ajoute Fifi.

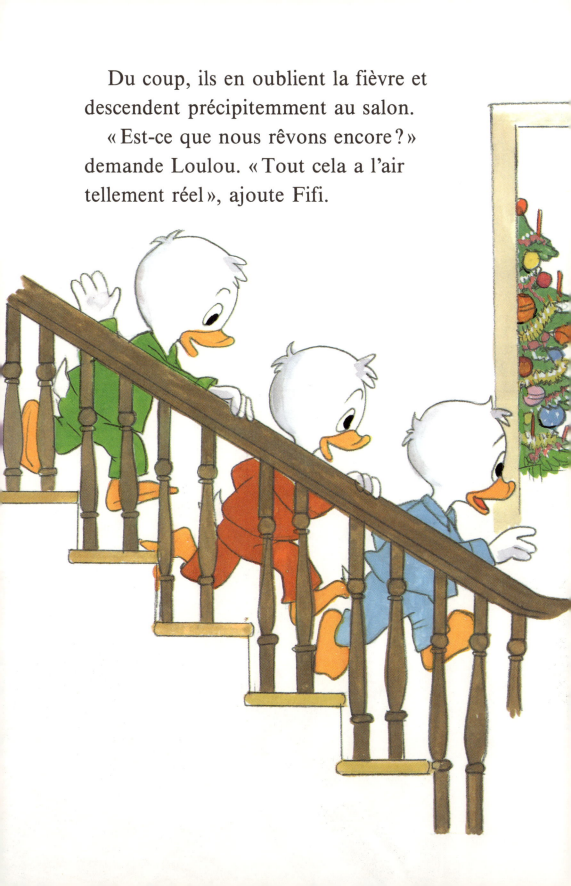

Non, ce n'est pas un rêve.

« Joyeux Noël », crient en choeur Donald, Daisy, Grand-Mère et Picsou au moment où les trois neveux franchissent en courant la porte du salon. Les enfants ne sont plus malades.

« Quelle belle surprise », disent-ils.

En fin de compte, ce sera un Noël comme les autres, fait de joie et de bonheur.

Les enfants obtiennent la permission d'ouvrir leurs cadeaux sans attendre. Fifi reçoit une raquette et des balles de tennis.

Loulou a un joli ballon.

Riri, pour sa part, ouvre un paquet qui contient trois paires de skis.

Après un moment de réflexion, Riri dit à ses
frères : « J'ai l'impression d'avoir déjà vu ce
papier d'emballage quelque part... »

À la fenêtre,
les enfants aperçoivent
un gros nuage dont la forme
rappelle l'équipage du Père Noël.
Était-ce vraiment un rêve ?